EN FALSO

GABRIELA KIZER

EN FALSO

(2005-2017)

Prólogo de Luisa Castro

VISOR LIBROS

VOLUMEN MCLIII DE LA COLECCIÓN VISOR DE POESÍA

FUNDACIÓN PARA LA
CULTURA URBANA

Cubierta: Mercedes Pardo. *Penumbra*, n.º 1, Colección Manoa, Caracas

© Gabriela Kizer

Edición al cuidado de Nicole Brezin

© VISOR LIBROS
Isaac Peral, 18 - 28015 Madrid
www.visor-libros.com

ISBN: 978-84-9895-453-1
Depósito Legal: M-2186-2022

Impreso en España - Printed in Spain
Gráficas Muriel. C/ Investigación, n.º 9. P. I. Los Olivos - 28906 Getafe (Madrid)

Cualquier forma de reproducción, distribución, comunicación pública o transformación de esta obra solo puede ser realizada con la autorización de sus titulares, salvo excepción prevista por la ley. Diríjase a CEDRO (Centro Español de Derechos Reprográficos) si necesita fotocopiar o escanear algún fragmento de esta obra (http://www.conlicencia.com; 91 702 19 70 / 93 272 04 47)

GABRIELA KIZER EN VERDAD

El título de este libro de poemas *En falso* está bien puesto. No es otra la sensación que una tiene cuando se adentra en ellos, la de pisar un territorio movedizo, deslizante, y que sin embargo nos atrapa desde el primer momento. Nos atrapa porque perdemos pie, porque lo seguro empieza a tambalearse como ocurre cuando franqueamos una línea sagrada. El hechizo se deshace cuando sales de los poemas, pero la sensación de pérdida no desaparece, y quisieras volver a ellos, pero los poemas ya son otros, no se dejan manipular. Hay una poesía de la que se puede hablar, a la que se puede parafrasear, pero hay otra que solo puede explicarse desde dentro. Ocurre lo mismo con el misterio, aunque las palabras que lo nombren sean cotidianas.

Las cinco partes en que se organiza este libro dan cuenta de esa progresión, de lo sagrado a lo común, a lo corriente. Pero ¿qué es lo común? ¿Y cómo se organiza la lengua para reflejar esa dimensión sagrada de lo corriente? Gabriela Kizer nos invita a este viaje, nos embarca desde el principio en esa nave, la de Caronte, que parece llevarnos hacia el confín de la vida, y que es en el fondo un viaje iniciático hacia la memoria, hacia los primeros destellos de la memoria de un pueblo y de una familia. Primero, Gabriela Kizer nos acoge en un introito, un pórtico de una iglesia, y luego ya muy pronto van apareciendo las imágenes, la fragilidad de la vida, la visión de lo vivo como un estado peligroso, la niña que cae, que se pela las rodillas y descubre en esa sangre un mensaje de Dios. La eucaristía de las heridas infantiles, y beber esa sangre. La piedra lanzada al transporte escolar, y comprender más tarde el pronóstico y el mensaje. Gabriela Kizer escribe de la pulsión de lo mistérico y de la materia, que son lo mismo, y desde ahí emprende un viaje en dos direcciones opuestas que se encuentran al final del libro, cerrando un círculo precioso: el de la genealogía a través del padre, de la abuela, la niña. La ascendencia y la descendencia emprenden su viaje vertiginoso y opuesto hasta que ambas líneas convergen.

Pero en el comienzo hay una pregunta: «¿Quién nos da un rostro?». Y una respuesta que viene del padre: «He soñado con una escritura sobre mi cuerpo cuyo sentido no comprendía». La adolescencia, el asombro, la incógnita de las muchachas y el descubrimiento de Eros, la memoria de la ciudad, las promesas que se filtran a través de los delgados tabiques de los pisos. Es al final de esta primera parte del libro cuando Gabriela se interna ya en una nueva esfera. Los poemas van haciéndose más diáfanos, narrativos, los mensajes sellados se abren a la exploración de lo común. El conocimiento del amor cincuenta años después de haber iniciado el viaje, y entonces aparece en el libro otra voz potentísima, que es la misma pero ahora revestida de la desnudez de los clásicos, poetizando la realidad entre la ironía y el drama: «Océano y Tetis riñeron para toda la vida con el único fin de darle estabilidad al mundo. ¿Qué vas a pedir tú?». Describe así Gabriela Kizer con exactitud la aceptación del tránsito, de la irrealidad de la vida y sus motivaciones inescrutables, las de esos «ríos en los que entramos y no entramos, y cómo somos y no somos los mismos». O la única lección que nos enseña la pérdida, con su firme y su ineludible cómputo de desengaños: «Y no sabes cuánto lamento que este amor no te haya servido para vivir».

Con esta primera lección, y a modo de carpetazo a los infinitos cuentos de la lechera, el libro se interna en una tercera parte compuesta por poemas en prosa a modo de luminosos ensayos. Ya no se trata de la vida, sino de cómo mirar la vida y cómo contarla, porque tal vez no exista otra cosa más cierta en el mundo: una poética. La serenidad y la inteligencia de la escritura de Gabriela Kizer se abren paso, y piensa sobre sí misma. Como desde una cima se ha investido ya con los atributos de la Hacedora, y es ella la que nos da lecciones, instrucciones de uso. Cómo tratar la fábula, la musa, la lengua, y ese poema de noble y profunda sabiduría flamenca, cuando uno ya no busca la verdad sino que la lleva dentro, la ofrece como en un altar a través del baile, de la música, el escalofrío del arte. Ensaya también Gabriela Kizer en su «Filosofía de la composición» un bellísimo parágrafo sobre «El cuervo» de Edgar Allan Poe, y empiezan a enumerarse los principios del arte: «Que el fin último de la poesía nada tiene que ver con la intoxicación del corazón. (...) Que el fin último de la poesía nada tiene que ver con la consecución de la verdad. (...) Que la contemplación de la belleza es el más intenso placer y nos hace derramar lágrimas». O el aprendizaje de los orfanatos y la ausencia de amor a través de Coco Chanel y Marilyn

Monroe. O ese poder inconmensurable de la vida frente al arte, expresado por Mark Strand. O de cómo un pelícano muere después de su impecable ejercicio de caza. Como el poeta, como el poema, ambos armados con doble anzuelo: uno para matar y otro para morir.

La cuarta parte de este libro es otra vez un retorno a la memoria, pero ahora el salto está tamizado por los signos de lo poético y se mueve hacia otra esfera. Ya no se trata de la memoria ancestral o íntima, que hemos dejado atrás, sino de la memoria social, de la violencia y el hambre y la indigencia de un país tomado por el ejército. Paco de Lucía recién muerto, el arte muerto y los corderos de José Agustín Goytisolo atacando a los lobos, como en el poema. O una visión de la triste Caracas por la que deambula una Naomi Campbell caribeña, prostituta hambrienta y ahíta de belleza entre el absurdo y la desesperanza. La perfección de esta parte, que actúa a modo de espejo entre el humor y la claridad, nos hace pensar si no es esta la verdadera caja negra del libro, desde donde nace y se organiza, la explosión germinal del arte como único refugio, como única salvación ante el dolor y ante el caos.

Y es así como el libro se cierra sobre sí mismo en la última y quinta parte, recogiendo velas y soltando amarras. En sus últimos poemas Gabriela Kizer, como si de una síntesis se tratara, alcanza su propia transformación a través de la alquimia entre arte y vida, y se hace la pregunta fundacional del poeta y el historiador: ¿puede la palabra nombrar lo real? ¿O es solo ese intento, y esa impotencia, lo más cerca que estamos de nuestra naturaleza? Y es aquí, en ese último poema que da título al libro *En falso* donde comprendemos que solo el tiempo trabaja sobre los rasgos de nuestro rostro. Y solo él puede hablarnos del misterio, y de la belleza.

Luisa Castro

EN FALSO

NOTA PRELIMINAR

Al cerrar este libro, ya con la gravitación (y distancia) del lector, tuve la impresión de que sus páginas en vez de avanzar se dispersaban en el tiempo. Más allá de la fantasía medio metafísica, medio novelesca (*¿fluye el tiempo desde el pasado, desde el porvenir?*), creo que estas páginas han transcurrido para volver a la pregunta final del primer poema. La percepción del tiempo puede llegarnos como una revelación difícil, angustiosa, hasta que se va transformando en incipiente imagen, incipiente conciencia. Algo de eso le debo al libro.

Varios de sus textos se acercan a la crónica. Si una suerte de velo espeso se ha apoderado en mi país de los espacios, de la lengua, de la interioridad, de modo que lo más nuestro se nos ha vuelto radicalmente ajeno, ¿qué oponerle? Cuando José Balza presentó en 2016 las crónicas reunidas de Elisa Lerner, apuntó que le gustaba especialmente la acepción de «crónico» como dolencia: la palabra que se sufre. Traigo la voz de Elisa unos años antes: «La crónica es para mí una manera de estar en la vida; una manera dialogante, amable, donde está el otro, donde no estoy yo sola... es una manera poco arrogante de estar en la vida. También es una forma de ciudadanía»[1]. Hallo aliento

[1] Entrevista concedida a Milagros Socorro. «Elisa Lerner, una atleta de la soledad» (2000).

para la poesía en estas palabras. Aunque se nos quede la lengua en agua de borrajas, ¿cómo dar forma a nuestros vínculos, a nuestra pertenencia al país, a los afectos, a la tierra, a las lecturas, a las tradiciones, a unos ancestros, al misterio sustancial e irreal, sombrío y sutil que nos sustrae y sostiene? ¿Cómo darle alguna intimidad, alguna belleza, algún sentido a ese estar en la vida y con el otro que, pese a la violencia demoledora de la historia, pide ser reverenciado y rememorado?

G. K.

I

GREGORIO

Lo que se dice en presencia del remero
—ávida el alma o temerosa de la ciénaga—,
eso lo sabemos: la moneda es exacta,
predecible la cara de Caronte,
inequívoco el paseo.

Hoy prefiero nombrar el vestido de terciopelo rojo,
desecho de alguna ocasión en que la hermana
hizo de reina o dama de honor.
Desecho amado por cada una de las tardes
que me vio lucirlo
¿cinco minutos?,
y darme prisa para conseguir un puesto
en la carreta de Gregorio.

Prefiero nombrar ese perímetro,
su ritmo lento y aburrido, o vertiginoso
cuando iba el hermano sobre el caballo enganchado
corriendo mis aventuras.

Alguna vez habré dado el paseo con el vestido rojo.
Alguna vez anduvo la carreta casi a trote.

Años después me sorprendió encontrarla en una calle
fuera de la ruta original.
No supe si esa era la carreta.
Había olvidado la cara de Gregorio.
¿La conocí alguna vez?

¿Acaso es frente a él que sudo la moneda apretada en la mano?
¿Alcanza, Gregorio, para el perímetro de hoy?

CAÍDA

La herida, sí, la herida.
La caída de los patines,
no del paraíso.
Y el olor a alcohol, insoportable.

Sople, por favor, sople.

Deme el instante que sucede al desmayo,
la calle apareciendo en su lugar,
la costra incipiente, el sobresalto
de mi rodilla ardiendo,
de mi rodilla pelada frente a Dios.

Por favor, sople, sople.

PALABRAS

A veces quisiera que fuesen descendientes de campesinos,
los de Millet o Van Gogh, de ser posible.
Quisiera rehacerlas con tiza de montaña,
encontrarlas de pronto en el azadón de algún ancestro
que corta la turba, que hunde la pala en tierra
hasta dar con la oscura joya.
Pero nada tuvieron de tubérculo o de raíz.

Acompañaron, eso sí, a pelar las papas generosas de la
Europa negra
y se vinieron al Nuevo Mundo en sacos llenos de recetas
de papas.
De allí los viejos no pudieron sacarlas.

Los padres de mis padres se tomaron a pecho el Nuevo
Mundo
y perdieron el pasado.
Los hijos de mis padres apenas estábamos para tomarnos
a pecho
alguna plana de la escuela.
Pero ahí no fueron aprendidas.

En la celebración de la Pascua
los abuelos rezaban sin otro fervor

que el de ser judíos hasta la médula.
Rutinarios e imperturbables continuaban su oración
por debajo del chismorreo de las mujeres.
Luego se cantaba en aquellas mesas sin ley
y se repetía la canción que conmovía a mi madre.

A veces, cuando paso demasiado tiempo sin ellas,
con desesperación tomo la pala y pesadamente comienzo...
Pero en vez de la buena turba,
en vez de la memoria pedregosa de los muertos,
el metal choca contra el piso enmohecido del barco
que ha iniciado su lento viaje desde Besarabia.

FILIACIÓN

Tu abrigo, madre, de cachemira gris
encontrado al azar sobre algún mueble
como a los tres, como a los seis,
como a los once años.

Tu abrigo, madre, para llevárselo a la cara,
para estrujar tan ávida, tan suavemente
aquel olor.

Tu abrigo, madre, de cachemira gris
para encontrárselo así como al azar
sobre este pulso que atraviesa mi ser
tan negro, madre, tan tuyo
o de los hijos
de los hijos de los hijos
que aún son entrañable apetencia de sangre,
piedrecitas
que agradecerá el mármol nuestro.

Tu abrigo, madre…

CUARTO OSCURO

A Santiago Sánchez E.

Cada quien tuvo un cuarto oscuro.

Acaso fue el armario que sirvió de escondrijo por
segundos
hasta que reveló de pronto una tiniebla más amenazante
que la del niño que cuenta con los ojos cerrados:
dieciocho, diecinueve…

Y tú estás entre el agujero negro
y la voz que te descubre y que te nombra
como en estado de delito o anagnórisis:
ahora te toca, te toca a ti contar.

¿Puede ser hasta cien, hasta doscientos?

Puede ser hasta el antiguo cuarto de la escuela de Inés,
donde entraban los niños para exponer su falta
al esqueleto pardo que solo se reía.

¿Se reía? ¿Para siempre se reía?

Quizá rieron más los esqueletos abrazados de Mantua
mirándose desde el Neolítico en su cuarto oscuro,
quién sabe qué peripecias haciendo y en qué lengua;
dos esqueletos entre los escombros de cualquier edificio.

Resultan inquietantes estas muecas,
este acontecer de los huesos.

Ayer no pude quitarle la vista de encima al carnicero,
al enorme fémur que troceaba como en nueve pedazos.
Un hombre viejo lo esperaba, mirando también
atentamente.
Entonces recordé la sopa de Raquel,
aquel hueso sabroso que chupábamos.

No sé si sea peor la carne con su sangre.

En esa silla, por ejemplo, en la que estás sentado
estuvieron las tripas de una gata abierta, ¿lo recuerdas?
Pensamos que estaba parida,
nos acercamos con cuidado, no hubo queja.
La gata nos miraba con sus tripas afuera.

Le echaron un balde de agua.
Yo no pude encontrarla o no quise, no recuerdo.

Hasta hoy la imagino corriendo.

Hasta hoy palpo la temperatura de la silla al día siguiente,
y el olor lavado y puesto al sol mil veces

para que pudiese ser la silla en la que estás, amor,
con todos tus huesos y tus tripas, pero sacándome
tan suavemente, sin nombrarme,
de aquel cuarto.

TRES SUEÑOS

... para que tengamos oscura reminiscencia
de una gorgona degollada.

José Lezama Lima

I

Tras la roca
a tres pasos de la sombra que hace el ala de oro
mis ojos distinguen los pliegues inferiores del vestido,
su intenso tornasol.

No imaginan *la gigantesca figura del miedo.*

Fijos, en la gravitación de la sombra sobre la costa
desolada,
apenas disciernen mi pregunta:
¿Esta roca
—antiguo y no labrado aliento tras el cual me sabes—
me protege, monstruo, me anticipa?

No puedo levantarla, ni alzarme sobre mí, ni alzarte.
No hay más certeza aquí que tu pie pateando un guijarro
que hasta la espuma puede desmenuzar.

No, monstruo.
Dejo al pecho de la diosa el talismán
y al inframundo su máscara guardiana.

A mi pecho solo le corresponden tus ojos vacíos en Bernini,
tu horror ante el espejo en Caravaggio,
y ese instante del héroe, esa delicadeza de sus manos
al voltear tu rostro sobre la arena mullida,
y esa coz de tu sangre que hará brotar la fuente que añoras
            y ese canto
y esta angustia.
Porque entre los tuyos —los terribles—
te tocó a ti padecer la oscura precipitación
que solo a nosotros nos incumbe,
y no supiste sino aterrarnos más aún.

Tú, con tu melena de animal,
con tus orejas y tu boca y tu nariz achatada de animal,
y con tus ojos humanos, con tus humanos ojos,
¿tú me escuchas?

Dime, si acaso suponemos mi interior de piedra
—el *mar helado* aquí aguardando la hoz
como en el refrigerador aguarda el róbalo
con el hueco en la lengua—;
si acaso suponemos mi interior el charco
que se esquiva, tan insano;
o algún insecto de alas tenues, presentidas quizá,
un alma oruga semejando a perfección las nervaduras
    pardas,

el moho, la necrosis de la hoja minada en lo estancado;
si acaso suponemos mi alma semejando un trozo de
madera
sin ocelo indeleble en su tejido,
sin cara ventral que imite el dorso de la sierpe,
sin trance de hechicero ni casco que la oculte
del depredador subitáneo, tremebundo;
mi alma sin anillo que la vertebre ni trato con el dios
que tampoco puede ser mirado,
sin saber qué cerdo quemar para su diosa,
mi alma, dime, ¿tú oyes?, ¿tú la oyes?

Pero yo quiero lo añejo: tu cabello erizado,
tu boca hinchada por el furor,
tu boca del ancho de tu cara hinchada
con su lengua colgando sin huella de cebo,
sin róbalo en sazón.

Pero yo no te veo.
Acaso te figura el simulacro de ojo
que ha pintado la oruga en mi reverso,
acaso el canto del basilisco, tan monótono.

Pero tú también callas en el zurrón del héroe,
tú crujes dientes y colmillos
anticipando ya la piel, los ojos claros,
el grito de la diosa en tu lengua colgante
como dos gotas de sangre que se juntan
—la de la vena cava y la segunda—:

una gota de belleza,
una gota de horror.
Tu sangre en mí se junta.

II

Pero yo quiero el agua que disuelve y aglutina,
el regusto a tierra mojada para el nardo,
para el jazmín, para las margaritas de colores viejos.
No la planta bulbosa y encerrada.
No la embriaguez de su capullo abierto
—la trampa de la madre para la hija de la madre—:
¿narciso blanco, amarillo, trompetero?

Pero yo quiero la tela del tapiz, el paño hueco,
la fábula tan extrañamente dibujada,
la fábula bordada, pero sin bordar.

Y los cachetes hinchados para el bostezo,
la ronca voz del suelo —el boquiabierto—
para el grano tostado y para el crudo.
Y el aliento que debe perecer,
sencillamente hundirse pese al llanto de la madre,
pese a la roca sin alegría en que se sienta ella,
pese a mi voz quebrada, mi piedra, esta roca sin risa.

Pero yo quiero la poción de cebada a medio moler
y las chanzas del puente que se cruza
y el cesto que se vacía sobre el cesto.

Acaso solo canastos para la ofrenda de humo.
Olor a cerdo asado, a sangre sin lavar.

Tu cuello abierto en la piedra de Cellini,
tu cuerpo pisado para siempre.

Y las ronchas del niño que traían cargado
—*¿cuánto ayer hace de eso?*—,
él no podía ni llorar.
Estaba picado de medusa, decían,
y pedían vinagre, agua salada
en aquella costa sola.

Yo las buscaba junto a mis hermanos en el mar:
campanas invisibles, con tentáculos.

Y había zapatillas para los erizos
y botes para el cansancio y para el miedo,
pero no había hoz ni casco ni zurrón
para atrapar tentáculos.

Nos gustaba la vida en aquel mar.
Me aliviaba el bote en que yo iba a veces
empujada por los brazos de mi padre,
como ahora me alivia la memoria.

Alguna tarde mi piel también fue picada.
Quizás lloré, pedí a gritos agua salada
hasta que fui callando
helada en unos ojos que no vi.

III

Pero yo quiero el silbido del viento en la caverna,
en las cañas pegadas, enceradas para la siesta del dios.

Escucha su bostezo, las pezuñas hendidas que se estiran
y en medio de la tarde escucha, monstruo, en su sueño
el golpe seco, tu cabeza asomando en el zurrón.

Y en mi sueño, escucha el espantoso ladrido
que me ha despertado, tan prolongado su dolor:
¿acaso un atropellamiento?, ¿una depredación feroz?,
¿la flecha envenenada de la Hidra?, ¿las airadas
uñas del dios?

Escucha, monstruo, la muerte tan despaciosa de aquel
perro.
En medio de la noche el golpe seco.

Escucha, monstruo, el silbido del viento en la caverna
y su llaga perpetua
lo incurable
en las cañas enceradas que se juntan
como dos gotas de sangre
en mí
se juntan.

SINO

Bastan buenos dientes para cortar el cordón umbilical.

Entre nosotros
el tiempo fue afinando los utensilios.

Me han contado que en Sumatra
las comadronas usaban un pedazo de flauta de bambú
que habían estado tocando.
Así aseguraban la voz de la criatura.

Las parteras javanesas sabían predecir
sobre el número de falsos nudos
y mirar en la transparencia del cordón.

No pesa nuestra pequeña cicatriz.
No arde el muñón con cada muda de piel
ni se desprenden sus anillos secos
a la manera de las serpientes.

Lo que pesa en la sangre
es la vida de cordones antiguos, constrictores.
Pesan los partos malos, los nombres triturados
como huesos, los legados profundos de la pena.

A las parteras de mi sangre les estaba prohibido presagiar.
Jamás se ataviaron con turbantes
ni aprendieron a extraer el veneno de las cobras
ni el arte de encantarlas sobre las notas
de una larga flauta de bambú.
Tal vez eran más sordas que las serpientes.

Las parteras de mi sangre,
las comadronas viejas
asistían a las madres con los ojos cerrados,
casi sin cordura y en silencio.

Así también morían.

VECINDAD

Hace un par de semanas, una tarde de lluvia,
murió nuestro vecino Carlos Consigliere.

No conocíamos su nombre.
Era tan solo el vecino del 62.
Reparaba con frecuencia un Renault viejo.
Registraba sus pulsaciones.

En la misa del jueves un niño ha preguntado
si en el cielo hay cementerio,
si el muerto cogió por el río para llegar al cielo.

Yo solo di el pésame a la viuda, mi vecina del 62.
Era otra tarde triste.
Acaso conversaba con Dios.
Como ahora que trasvaso la calatea
                                        precaria y misteriosa
para hacerla permeable a la tierra nueva,
llena de minerales, supongo.

Bella, le digo a cada cara de sus hojas
y a la flor que no exhibe
mientras se va cerrando noche a noche,
morada, sobre sí.

A su lado, el malabar se dispone a la visita
de artrópodos y coleópteros y ácaros y ciempiés.
Sus hojas amanecen mordidas,
no madura la flor.
Como si no le bastara la oración
cada vez más triste
de la viuda de Carlos Consigliere,
nuestro vecino del 62,
muerto de infarto.

LA LECCIÓN

Esa tarde
tiraron una piedra al transporte escolar desde la calle.
Te cayó en la cabeza.
Apenas hubo sangre, el chichón en el cráneo
y aquella maestra gritando que pudiste haber muerto.

Quedaban por delante arduos esfuerzos para las
matemáticas
y el entendimiento fugaz.

Pero a ella te ha tomado medio siglo comprenderla.

SHABAT

La cara de Raquel bajo la rigurosa sábana
ya no era Raquel

ni siquiera sin hermanas,
sin torta de miel,
sin el alma apostada a la primicia
de algún casamiento afortunado.

En el brazo que asomaba
bajo la manga de la bata azul
—*no levanten la sábana*—
había otro plato servido.

La abuela murió un sábado en el sueño de Dios.

Hubo que vigilarla hasta que él despertara
—*los difuntos recientes temen a los espíritus*
y quieren regresar—.

Pero la abuela y la muerte tenían tiempo
secreteando historias del otro mundo.
Como uña y sucio fueron cubriendo los espejos
hasta que no se supo quién estaba en el rostro de quién.

La abuela murió un sábado en el sueño de Dios.

Quedaba postergado el laborioso trasiego entre los
mundos,
la premura, tu pobre viaje de siempre;
quedaba postergado suponer que había camino escarpado
o brecha que tomar o cualquier cosa
que no fuese tu migaja de cuerpo todavía,
aunque sin sueño propio, abuela, ya sin sueño.

A tu lado, no pude sino repasar la puntada
que se fue dando sobre ti,
pero no pude separar tus rasgos de tus rasgos,
no pude sino saber que no debía verte,
que estábamos las dos sin ojos para la vida, abuela,
bajo la sábana de tu niñez que me escondía
en el juego y la risa, y en el miedo
¿quién nos da un rostro?,
¿quién desgarra nuestra triza de origen?,
¿qué mano diestra nos prepara
para el barro gustoso, para el cambio,
sin acicalamiento, abuela,
quién nos da un rostro?

Yo quisiera traer la vieja arcilla
de las manualidades escolares,
endurecer esta tela con yeso,
reintentar la máscara invariablemente agrietada,
un rictus capaz de decir la quietud de tu sangre.

Pero tu sangre avanza como avanza la tarde,
pero tu sangre avanza como en coro.

Bidones de sangre tibia te contienen en sueños.

No es materia para modelar.
No haremos mundo con esto.

Solo rezo, solo canto, solo arrullo
bajo la rigurosa sábana.

MENSAJE GARABEICO

A mi hijo, Manuel Guzmán Kizer

Padre tiene dos años y medio.

Camina, curioso, hacia un agujero iluminado.

Estoy solo, solito en el barco, dice,
y quiero acercarme para ver qué hay allí.
De pronto un hombre me detiene con fuerza
y me salva de caer en las aguas del mar Negro.

Es mi primer sueño.
Y mi primera sensación: el movimiento del barco.
Ahora tengo noventa y ocho años.

¡Ochenta y nueve!, corregimos al unísono,
ante sus ojos ciegos que tantean
el catéter en la muñeca,
una sombra azarosa entre las sábanas
(*¿Qué hay, qué hay allí?*).

Padre tiene ochenta y nueve años.

Sus ojos brillan, verdosos,
como el mar cercano a las costas.

Son ojos limpios.

He soñado con una escritura sobre mi cuerpo, dice,
cuyo sentido no comprendía.

Yo acaricio tus brazos,
recuerdo nítidamente tu niñez
en los suyos, el día en que
comenzaste a subir y a bajar
las escaleras de casa
guiado por aquel *poco a poco*
que repetía el abuelo.

Al viejo ahora le costará hacerlo.

Habrá que alentarlo. Y cerrar la ventana
a ciertas horas de la tarde.
A sus ojos ciegos les molesta la luz.

Son los ojos más luminosos que hayamos visto.

De frente, su rostro se ha ido haciendo tan lozano
que es casi el rostro
del niño rubio sobre la nieve de Jotín.

En el puerto de Constanza
ya se comienza a estibar la carga
para que el barco no escore.

Nos tocará remontar la oscuridad
de esa antigua escalera.

Poco a poco iremos reconociendo la voz ausente,
tan amada, en el rumor del mar,
la indescifrable escritura sobre su cuerpo.

II

PUERTO AZUL

Ustedes se escondían tras las piedras del malecón.
Tú eras rubia, acaso lo seas todavía.

Ustedes caminaban de noche y de día tomados de las
manos.
Ustedes sonreían sobre granizados de fruta
y correteaban como niños a la orilla del mar.

Era el tiempo de ocultar cigarrillos
en los resquicios de una pared precisa.

¿Hasta dónde llegaba el aterrado asombro?
¿Hasta dónde la delicia de las manos ya sueltas?
¿Hasta dónde el sol, el musgo, el choque de las olas,
las voces lejanas, el gesto repetido del cangrejo?

Yo lo soñaba.
Punto por punto lo soñaba.
Pero no sé qué soñaba.

Mi placer está hecho de esa incógnita.

ACERAS

En esta ciudad los hombres escupen sobre las aceras.

Contemplo de pronto esta
que de haber grabado mis pasos para el cine de matiné
y para la huida trunca con el adolescente siciliano
—aquella fiera enjaulada en el traspié—
y mis pasos para la factura de la luz
y del aseo y de aquel libro
habría confirmado un alma.

Contemplo las grietas de esta acera,
su paupérrima inmortalidad.

Diosa o mundo, nos deja ir y venir
esquivando salivas espesas
o arrastrándolas
como si tal cosa fuese lo de siempre.

Y tal vez lo sea.

Ayer en la noche, sin embargo,
la pareja del piso de arriba volvió a beber.
Ella cantaba en voz altísima.

Durante cada tregua
él repetía su nombre casi con rabia.

Yo gozaba la voz ronca de la mujer,
machacaba su nombre en la ventana.

Sobre el concreto erizado
pendía la promesa de aquel joven:
Todo lo que te enseñaré bajo esa franelita verde de rayas.

MUCHACHAS

¡Oh, Neptuno de la sangre!, ¡oh, su terrible tridente!

Rainer María Rilke

Quiénes éramos
muchachas pacatas, salvajes, voyeristas,
apenas dejábamos atrás la calidez sin respuesta
en los ojos de las muñecas
cuando el resplandor de la tarde
caía sobre nuestros párpados
despojándonos repentinamente de mundo.

Pero aún nos gustaba columpiarnos
muchachas leves, suspendidas,
sin poder todavía imaginar al espantajo
que iba ya en el empeine aflojando la pulpa,
enrareciendo sueños
densísimos, empecinados
en destilar de nosotras algún licor añejo
que no alcanzábamos a ser.

Muchachas pacatas, salvajes, voyeristas,
cada tarde trepábamos a las ramas más bajas
como lagartos acechábamos
los rumores cerrados de la savia:

el exhibicionista a la vuelta de la esquina,
los senos estrujados de fulana,
el beso de Frimy en el transporte
—su enigma dilatado, el embeleso
en los ojos de Colón y Torquemada—.

Pronto seríamos bocado y abrevadero.
También indecencia, llama difícil, brasa para tiznar.

Pero aún nos gustaba columpiarnos
    muchachas leves, suspendidas…

ODISEA

Que recorras tú un Mediterráneo arcaico e impreciso
o el mar de Polibio, Plinio el Viejo y Estrabón.

Que esté contra ti el dios que desquicia las rocas de las
costas
o que nuble —a su pesar— los ojos de Aquiles para
salvarte.

Que llegues a Cartago, Mauritania y Sicilia
o a tierras de lestrigones y lotófagos.

Que debas consultar el alma de Tiresias o la voz de tu
padre
para salir de la doble llama del octavo círculo
en que Dante te tiene retenido.

Que yo sea Creúsa o Troya, Homero o Dido.

Que puedas ver la pira que tus ojos han levantado
y sobre ella: la novilla asperjada con agua lustral,
los granos de cereal que recubren el cuchillo,
la oscura sangre a chorros.

Que puedas saber de la parte ofrecida en tu nombre
y del intacto tenedor de cinco puntas
que guardo para tus manos a la hora del festín.

Que las mías resistan la voracidad de los dioses.

Que frutas, pasteles y fragancias los deleiten sobre la llama:
lo no cruento del amor, me pido (me pides, quizá).

Que este poema no te dé por perdido.

Que no justifique la desdicha.

Que tú seas quien eres.

Que no haya otro fantasma que el del sueño
libre y cansado cada noche.

O bien
que sea el sino, la zampoña,
el deseo del dios (su risa hueca, macerada, hostil)
en que naufraga
la belleza del mundo que trajiste:
apenas liquen, cascajo, grava rota,
palabra ardiente.

LO VIVO

Hambrientos de menos,
disponemos cada noche
del sueño de nuestros restos.

Lo hacemos con dulzura,
hablando sobre cualquier cosa.

¿Qué instante nos detendrá?
¿Habrá calor, lluvia?

Ahora nada nos orienta.
Ni siquiera la penuria que damos al corazón,
ni siquiera su peso muerto sobre los hombros.

Sombras debilitadas, nostálgicas
de sangre y de destino,
andan zumbando por la casa
que se ha tornado invisible.

No pudimos contener sus paredes
ni cambiar los cuadros de lugar.

¿Tenemos nombre aún?

No llega aquí la melodía
que hace olvidar el hambre a Tántalo,
ni los pasos de la muchacha que sin cesar camina
y conoce la hendidura de la sombra a la luz.

No queda para nosotros ni la gracia
del grano imposible de regurgitar.

Abre los ojos.

El moho se acumula en todas partes
y los pies se nos van y no caemos.

Hasta nuestros susurros se han vuelto borrosos.

¿Escuchas?

¿No ha concluido ya el tercio del año,
la irremediable cita con lo fútil
que queda de lo vivo?

¿Y lo vivo —la vibración de la larva
en el pantano, de la espiga;
la memoria del antiguo espejo de mano,
de la seda pegada a la transpiración;
los entrañables y repugnantes sabores—,
la irremediable cita con lo vivo?

Porque una cosa es el cese, y otra
sustraerle fragancia al devenir.

Escucha.

Ni Leteo ni sangre anegan la garganta.

Haber perdido el gusto al agua
nos ha salvado al menos de beber.

Busco mis pasos, que están perdidos
y no llevan mensaje de otro mundo.

Busco la flor trizada, dulcemente disuelta,
¿comprendes? Y un poco de tierra pastosa
donde poner a fermentar esta niebla,
y un vino seco para las tardes
y las magulladuras.

BORIS

Y esa rara familiaridad
entre nosotros, Boris,
más de treinta años después,
como si el beso que no fue
hubiese prosperado en otra vida,
como si tu rostro trigueño
—el primer rostro de muchacho
que miraba—
no hubiese estado embelesado
con Verónica y sus tetas inmensas.

Pero yo apenas comenzaba a escuchar
los misterios de Ana María y de Marisa,
apenas comprendía mi afán
de revolotear por la redoma de tu casa
y por qué me hacías guiños, Boris, y sonreías
y por qué debía tener cuidado con Elvis
cuando aparecía con su moto:
porque esa niña anda como buscando quién sabe
y *que te va a agarrar un día de estos.*

Pero yo solo andaba buscándole la lengua
a Ana María y a Marisa
sobre esas tardes en que desaparecían

con los feísimos hermanos Ottati
y si era verdad, con lujo de detalles,
que se dejaban acariciar por ellos
durante horas y horas y horas.

Luego vino esta vida con sus besos
y los breves o prolongados infiernos
de cada quien.

Pero hoy, ante la picardía de tu sonrisa,
no sé si me conmovió
la crudeza de aquella inocencia
        intacta
o la indiferencia con que el deseo
dormita a su aire:
rama que no cayó al suelo
ni crujió seca
ni pidió nada de nosotros.

SIETE VIDAS

Conocí la tristeza
una lluviosa mañana de enero
poco antes de cumplir cincuenta años.

Yo, que creí que me las sabía todas,
comprendí de pronto que mi amante
no me quería tanto como decía.

No se aguaron mis ojos
(eso ya había ocurrido la tarde anterior
y la tarde anterior).
Tan solo le pasé un trapo con Maderol
a la mesita hindú de la sala
y luego un trapo seco
para que no se le fuese a empegostar
la caja de cigarros.
Pero fue un gesto escéptico, casi frío.

Miré sus lámparas y el amor
con que las había puesto hace nada.

Supe también que la palabra «empegostar»
es un americanismo y no figura
en el Diccionario de la Real Academia.

Repasé su piel, su ser, su rostro,
enteramente su cuerpo en la memoria,
y reconocí asimismo cuánto me los sabía.
Cuánto y cómo me los sabía.
Pero me dio flojera buscar la palabra
que reflejara esa intensidad.

Uno tiene derecho a sus venganzas,
me dije.

Durante toda la mañana
el sol estuvo saliendo y ocultándose.

Supe, por último, que seguiría buscando en sus ojos
la palabra definitiva,
que mi amor no caería de pie.

Pensé en los amores que tienen siete vidas
e intenté precisar por cuál íbamos.
Tal vez por la quinta, me dije,
quedan dos.

POSTAL

Quizá recorrimos palmo a palmo esa ciudad.
Quizá conocimos su cielo
y ebrios, rematadamente ebrios,
besamos su reflejo en el río que la atraviesa.

Las luces de los postes nos encandilaban.
Tus manos sujetaban mis pasos.
Nos inquietaba el crujido de las hojas secas
y un viento que agitaba en los ojos
destellos de tormentas que conocíamos.

Cierta noche el viento cesó.
Escucha la melodía de lo inmóvil, dijiste,
y resonó entre nosotros su oscura raíz,
enmarañada y espléndida.

Pero no fue la nuestra
—como la de los viejos amantes de Jacques Brel—
una tierna guerra.

Tardó tu corazón en ablandarse
y yo no te aguardé con *palabras locas* que tú comprenderías.
Tampoco anhelé ser *la sombra de tu sombra,*
la sombra de tu mano, la sombra de tu perro.

Con todo,
aún forma arroyos encendidos la lava del antiguo volcán,
aún se estremece el trigo que dio nuestra tierra quemada
y tu voz sigue remontando la circulación de mi sangre.

Pacientemente, con los brazos cruzados,
espero el sentido común de la cartografía,
los nombres de los ríos y las calles del mundo.

RÍOS

Que no hubo Sena, Támesis, Moldava.

Que faltó un chapuzón en el río Prut
al cual atribuir una fiebre reumática
y el debilitamiento progresivo del miocardio.

Que ningún caudal hizo a la tierra edificable,
ni dejó pasar la historia, los pensamientos;
ni reveló la transparencia sonora de la realidad.

Que lo que hubo fue lenguaje cenagoso, ríos sin nombre
en los que se pegaban los corronchos de las piernas
o amenazaban con eso y daba espanto.

Que transcurrieron horas anudándolas
en la piscina la Culebrita
porque de perderse la cola de sirena
cada vez que pongas los pies en el suelo
sentirás un terrible dolor.

Que aguardaba por mí la poción químicamente pura
a cambio de besos sostenidos, apretados contra las piedras,
rodeados de culebras de agua dulce reclamando la voz.

Que pudo haber sido más leve la creciente,
el ruido de los rayos cayendo tan cerca de la curiara,
el agua picada, tan repleta de pirañas.
Y si la curiara se vuelca tan solo trata de alcanzar la orilla.
¿Cuál orilla? Si las pirañas buscándome las piernas
con hambre vieja, aguas abajo.

Pero deja el desaliento, corazón,
todavía nos queda el pericardio.
Océano y Tetis riñeron para toda la vida
con el único fin de darle estabilidad al mundo.
¿Qué vas a pedir tú?

Ofrece tu pesar al Aqueloo
y recuerda la belleza con que Sófocles
cantó a sus sombras oscuras.

Recuerda el río de Heráclito, las metamorfosis de Ovidio,
los ríos en que entramos y no entramos.

Y cómo somos y no somos los mismos.

FÁBULAS

Ni todas las fábulas de reinos antiguos
que por mí aguardan
me ayudarán a olvidarte.

Intento, en vano, recordar el poema
en que esto fue dicho espléndidamente.

Ya ves cómo has vuelto a dejar mi casa
a merced de la vieja lámpara de aceite
sobre una mesa vacía, apolillada.

No voy a frotarla.
Sé bien que su hosco genio no habría de servirme
como no sirvió a la princesa Badrulbudur.

Tal vez el curso de los días
y los sencillos hábitos
vayan apaciguando el Ganges
y el color aceitunado del océano Índico
y un ángulo de tu rostro y Catay
y Cipango en mi respiración
y el sabor de tus ojos.

¿Qué más puedo decirte?

Sé que vendrán noches en que te sobrarán las manos
y no sabes cuánto lamento que este amor
no te haya servido para vivir.

Pierde cuidado.
Menos aún me servirá para morir.

Como San Brandán,
atravesaré nuevamente el Atlántico ignoto
hasta dar con la isla en la que no habrá bálsamos
ni deseo ni sed ni me bastarán el hebreo
ni el caldeo ni el árabe
ni siquiera tus manos me servirán de lengua.

Tampoco me sirve confundir a estas alturas
una pena de amor con el silencio de las sombras.
Desconozco la melodía para aplacarlas
y, sin embargo, noche a noche me duermo
canturreando un poco: *me envolverán las sombras*
o *sombras nada más* o *voz de sombra*
                    despedazada ya, sangrante
en la desembocadura del Hebro
o en la octava, en la novena cuerda de la lira
o *sobre el barro de este callejón de puertas cerradas*
y *fantasmas que ladran* (*a mil besos de profundidad*).

EL CUBO ROTO

A Charles Cohen

De Esopo a Samaniego la lechera lloró amargamente.

Si en el siglo IV iba meneando la cabeza
imaginando que le diría que no al hijo del molinero
y dos mil años después iba riendo
sin más compañía que su pensamiento,
es lo de menos.

Yo también traía fantasías aquella tarde.
Probablemente venía cantando
—ya te había dicho que sí de buenas a primeras—
por la buena ganancia que me arrendaría la leche
para un canasto de huevos y cien pollos,
mantequilla, nata, un robusto lechoncito,
una vaca, dos ovejas, Praga,
París, Jerusalén…
cuando el cubo cayó al suelo
y se rompió en mil pedazos.

Quizás Esopo, don Juan Manuel y Samaniego
sonrieron al unísono ante la vana catástrofe.

Mientras el perrito hambriento
terminaba de lamer la leche
que no se había tragado la tierra,
yo también sonreí.

Como Yolanda Pantin, me dije,
compraré aves del paraíso y calas blancas.

Si comieras mariscos
prepararía igualmente *calamares en su tinta,*
pero ya se me ocurrirá otro *plato de grandes ocasiones.*

Serviré una fuente con dátiles de la tierra prometida
y con uvas que tú pelarás para mí.

No le daremos la vuelta al mundo, corazón.

Tan solo nos largaremos a Key West,
al mismísimo Cayo Hueso
donde las cenizas pardas y casi azulosas de Reinaldo Arenas
nos contarán en arameo, japonés y yiddish medieval
su rabia y su nostalgia.

Tú le pondrás wifi a los marihuaneros de Key West
y me cuidarás de los antiguos piratas y contrabandistas
que añoran el turquesa de sus playas.

Ni Hemingway tendrá que preocuparse por su vejez,
ni borracha te diré que la noche se mañana, corazón,
te lo prometo.

Seremos amantes seniles, sibaritas, generosos
con todo lo que es y todo lo que fue
en nuestros corazones.

En ese cayo único,
en el punto más al sur,
esperaremos una puesta de sol,
un bote clandestino, alguna goma,
una tabla que flote bamboleándose
y se lleve la canción, el cubo roto
—*lo único que cuenta, si uno cuenta*—
para calmar la sed del tenebroso,
divino mar de los Sargazos.

III

LANCÔME

No siempre se puede usar Lancôme. Ya sé que debería concentrarme en el mapa que pisamos: sus caminos inescrutables, las grietas en relieve. Podría interesarme la edad de las rocas. Estamos de acuerdo. Yo también detesto los temas femeninos, pero se trata de la base que prefiero y del rímel que no me produce alergia. Por lo demás, reconozco que ha llegado la hora de prescindir del argumento y de fijarse un poco más en la función de los intransitivos. Prometo que lo haré. Asimismo, intentaré deshacerme del sujeto y de todos sus determinantes. En el lugar de nosotros habitaría el poema. Sería un fenómeno casi natural, casi sin máscara. Pero no siempre se puede usar Lancôme.

LA MUSA

La clasificación platónica de la locura constituye para la poesía el mejor modelo de orden: está el poeta que, como el místico, sale con entusiasmo de sí mismo; el que debe ser arrastrado; el que, imitando el proceder de los amantes, se hace fuerza para precaverse del peligro. Y está el poeta en guardia. Y el poema al que hostiga pero prefiere que escape, el verdaderamente elusivo, el que aparece como dictado por musa o duende (el seductor). Y está la ingenuidad proverbial del poeta: la falta de pudor que confunde con poesía, la falta de belleza que confunde con pudor. Esto último es intragable, pensaba Platón. Y apuntaba que el propio Homero —tratase en sus versos lo que tratase— se sabía ilusionista y muestrario de fantasmas: *Épica o lírica, la musa es voluptuosa, Glaucón,* nos insta a desprendernos de lo que amamos: *los puntos de encuentro con la realidad, el fundamento sobre el cual cada poema se sostiene. Suprimir el fundamento* es esencialísimo, insiste Różewicz. Y Kundera alega que los amores perecen cuando desaparece la idea sobre la cual han sido construidos. *Épica o lírica, la musa es voluptuosa, Glaucón, nos hace desventurados.*

LA FÁBULA

A Humberto Ortiz

Cinco o seis siglos debió esperar Homero para cantar su guerra, cinco o seis siglos has aguardado tú siempre, Safo, para perder la tuya. Sabemos que aún rebulle la espuma bajo la roca de Léucade, que no estamos en paz. Quizá pueda tratarse de una cuestión de perspectiva, de ver si libremente podemos arrimarnos a Euterpe o a Aristóteles y terminar el drama con un dejo fingido. En arte todo es mímesis. Y la fábula —para que sea bella— invariablemente ha sido simple y ha pasado de la dicha a la desdicha. *Sobre la oscura tierra, la poesía es algo que será.* Entretanto, contentémonos con la composición de los hechos y digamos sin más lo que pide la fábula. Pues *no es justo que en una casa dedicada a las musas estemos en lamentos,* Safo, *no nos corresponde.* No importa que Cipris doblegue el corazón o que lo haga una escuadra de navíos.

PEDICURE

A Odette da Silva, a Gina Saraceni

Podría darte ahora por confesar que a veces has deseado parecerte a San Agustín: tener su don retórico y especulativo, dejarte arrastrar por la sensualidad en Cartago sin abandonar el estudio ni el escepticismo y luego en Hipona escribir: *al final de esta frase se desvanecieron todas las sombras de duda.* Pero a la poesía no le agradan las confesiones.

Resultaría mejor una disertación en torno al río heracliteano que terminara celebrando la piel de tu amante. O viceversa. Basta con que recuerdes que ni la filosofía ni el amor son objeto de la poesía, etc. Puedes tomarte una pausa esporádicamente. Ningún poema se molesta cuando te tardas, ni le pone reglas al juego, ni te advierte: por aquí no van los tiros, corazón.

Clarice Lispector desistió de dar entrevistas porque nadie habría entendido que se pintara de rojo las uñas de los pies. Si algún día te da por explicarlo, podrías decir que no solo careces del don retórico y especulativo sino que te falta sangre real, que sobre veinte colchones tu sueño jamás percibió el guisante y que, sin embargo, sueles amanecer fatigada y con grandes ojeras.

Tal vez San Agustín amanecía así. No parece inverosímil, conociendo cómo gusta el alma de ocultarse, que la buscara en sueños. Por lo que a ti respecta, ni cifrada en los gérmenes invisibles de las cosas, ni distendida entre las criaturas, ni en el verde preciso de un guisante está la palabra que te desvela. Lasciva y renuente, quizás se guarda en los pies, pero ¿quién lo entendería?

POESÍA PURA

A veces quisiera vaciar el poema.
Que respire sin memoria ni partículas de lodo
en el fondo de la copa.

Pero está el corazón al que una brisa torna
estuche levísimo y deshecho.

Está el afiche de Conchita Piquer
y el misterio de la perra mansa y negra
en medio del ajetreo de los fogones.

Cuando se sobrellevan
también están tus ojos entornados
y los cielos de Caracas, donde —según tú—
viven las nubes más espesas del mundo.

Concha Piquer viajaba con baúles:
ropa de cama, de mesa, vino y aceite de oliva.
No anhelaba vaciar otra cosa.

En la copla, solo matices de madera, grosella y nueces,
la inflexión entre la voz pasiva del indicativo
y las emociones del subjuntivo.

Tienen a veces —replicamos—
más interior las rocas que nosotros,
tiene más alma el vino.

Pero no es eso lo que echamos en falta.
Al fin y al cabo
hasta los guijarros se prestan a nuestros juegos,
a ver, quién lanza más lejos, quién acierta en la noche
(*como el relámpago en el corazón de la corteza*).

¿O por qué seguimos entrechocando pedernal y pirita
al abrigo de esta copla magnífica?, ¿por qué
si somos hojarasca, frutos secos, ramas resinosas,
si bastaría soplar para arder despacio y con buena llama;
por qué trepidamos tan inestables en el viento?

¿Vaciar el poema?

El fuego del infierno, menos débil, dices,
quema también el pecho y arde en sombra
y apenas consume lo que abrasa.

APOLLINAIRE

Al ser abandonada por un antiguo oficial de las Dos Sicilias, la joven polaca Angélica de Kostrowitzky resolvió prodigarse al juego. Una madrugada sin suerte solicitó a sus hijos que huyeran de la pensión belga donde los había hospedado.

El hijo mayor de Olga Karpoff —como en París se hizo llamar la dama— dictó clases de francés, fue contable en la bolsa y crítico de arte. Menos agraciado que su madre, se apasionó por una divorciada aficionada al opio, envió los mismos poemas a dos mujeres, editó textos libertinos y maliciosas apostillas sobre escritoras. A modo de obsequio recibió dos estatuillas fenicias que le valieron la acusación por el robo de *La Gioconda.*

Un tanto desencantado de la vida, vio en la guerra su paraíso artificial: estampó con tinta violeta veinticinco ejemplares de un breve poemario cuyas ganancias serían para los heridos, pero cansado de esperar a los otomanos en la segunda línea de trincheras, solicitó su traslado a infantería. Parece que leía el *Mercure de France* cuando una esquirla de obús se incrustó en su cráneo. Él dijo que nada sintió.

En vísperas del armisticio, juntó las telas, pinceles y colores que había prometido a Pissarro para el ocio sagrado. Esa tarde Ungaretti apuraba el paso para visitarlo con una caja de cigarros toscanos. La multitud se agolpaba en las calles gritando: *¡A mort Guillaume!* Al recibir la noticia, Picasso guardó la navaja con que se estaba afeitando y sintió que dibujaba su último autorretrato. Blaise Cendrars le reprochó no haber sido un verdadero experimentador por haberse negado a probar cierto aceite de Harlem con el que había logrado salvar a setenta y dos amigos.

Acaso no esté de más agregar que amó un jardín cerca de Praga, la muchedumbre de París, un níspero del Japón bajo el que estuvo sentado en Roma, y a una joven que creyó hermosa y era fea. Jamás desmintió ningún rumor sobre sus orígenes, y aunque trajo a la página la evanescencia del humo y el temblor del *espíritu nuevo*, solo estuvo convencido del valor meramente anecdótico de la existencia.

ABOLENGO

A María Fernanda Palacios

Manuel Fernández Montoya, el Carpeta,
nieto de Antonio Montoya Flores, el Farruco,
hijo del Moreno y la Farruca,
hermano de Farruquito y sobrino de la Faraona;
retomo, el Carpeta, apodado así por su abuelo
porque cuando veía bailar a la familia *se quedaba con todo*,
al ser entrevistado por Francisco de Asís Rivera Ordóñez,
más conocido como Fran Rivera,
nieto, sobrino e hijo de matadores
y de Carmina Ordóñez —encontrada muerta
de tristeza y de locura y barbitúricos
en la bañera de su casa—;
retomo, el Carpeta, con doce años de edad,
a la pregunta de qué se siente en las tablas
contestó *nervios, pero también alegría*
y acordarme de mi abuelo porque la sangre manda
y lo primero es el baile.

Esto le ha dicho su hermano Farruquito
luego de un espectáculo en que perdió el tacón,
y mientras lo esperaban por seguiriyas
tuvo que caminar hasta una banqueta,

servirse una copa de vino de Levante,
quitarse las botas y los calcetines
y terminar el baile como pudo.

Y a la pregunta de qué se dice en las tablas
Farruquito contestó *no sé, un misterio que hay ahí.*
Y a la pregunta de si se consideraba una persona alegre
no sé, pero aunque triste dos días
—como el potaje de garbanzos cocido a fuego lento—
la tristeza nunca sabe lo mismo.

Y a interpretar de verdad no te enseñan las partituras
sino ofrecer verdad, que es bailar a matarse
y no seis poses, dos vueltas o setecientas poses y para adentro.
Ofrecer verdad, como lo hacía mi tío
Antonio de la Santísima Trinidad Núñez Montoya,
el Chocolate, que rompía el corazón nada más verlo
por la forma en que se templaba y abría la boca.
Y como lo hacía mi abuelo,
que bailaba incrustado en la cabeza
el baile macho, el baile sin ademanes.
Y eso no es un adagio que se aprenda.

Esto dijo Manuel Fernández Montoya, Farruquito,
antes de retirarse temporalmente de las tablas
al ser condenado a tres años de cárcel
por haberse saltado un semáforo en rojo
a 80 kilómetros por hora
y por haber adelantado por el carril contrario
sin tener permiso de conducir

y por haber atropellado mortalmente
a Benjamín Olalla Lebrón
en la ciudad de Sevilla
y por la imprudencia grave
de haberse dado a la fuga
y omitido el deber de socorro
en dicha ciudad.

Horas antes de entrar en prisión,
a la pregunta por la condena de su público,
Farruquito contestó *desolado y no solo arrepentido,*
y quisiera que alguno me considerara un poco,
que pensara: a esta persona le ha ocurrido una desgracia,
y bastante tiene con lo que le ha pasado.

Y a la pregunta por la repercusión de la muerte
en su arte *ha matado la velocidad,*
ha matado el afán y la ambición que yo tenía del baile.
Y a la pregunta por la pureza de su arte
como el fango y la tierra,
porque el baile no es aire ni pajaritos ni burbujas.

FILOSOFÍA DE LA COMPOSICIÓN

Harto conocido es el hecho de que la mañana en que se publicó «El cuervo», su autor atravesaba Broadway dando traspiés. Harto conocidas son igualmente las razones por las que equiparó la composición del poema a la solución de un problema matemático:

Que aquel que tome la pluma antes de tener el desenlace
a la vista
ha fracasado en el mérito poético.
Que aquel que, con el desenlace a la vista, no sea capaz
de graduar
las estrofas precedentes ni debilitar sin escrúpulos las que
siguen
ha fracasado en el mérito poético.
Que la extensión impropia acaba con la unidad de efecto.
Que la unidad de efecto no contempla la constante
alternancia
de excitación y desánimo.
Que la brevedad impropia produce un efecto vívido,
pero nunca duradero y profundo.

Que la poesía de las palabras es la creación rítmica de la
belleza.

Que a la creación rítmica de la belleza no le viene mal un ave de mal agüero.
Que su invariable estribillo puede arrastrar a un amante abatido
al más voluptuoso —por intolerable— de los sufrimientos.
Que el fin último de la poesía nada tiene que ver con la intoxicación del corazón.
Que la tendencia de la pasión es, ¡ay!, degradar el alma.
Que el estado poético no es un estado frío y desapasionado.
Que el fin último de la poesía nada tiene que ver con la consecución de la verdad.
Que las exigencias de la verdad no son las exigencias de la belleza.

Que la naturalidad en el estilo resulta difícil a los que fingen.
Que los que fingen son en el fondo artificiales.
Que el estilo artificial tiene tantas variedades como gustos a satisfacer.
Que la masa de arcilla en manos del artista
debe ser lo bastante fina o gruesa, lo bastante plástica o rígida
para servir mejor a los fines de la cosa a crear,
o, más exactamente, de la impresión a producir.
Que los artistas a quienes solo agrada el material más fino
suelen producir vasos excesivamente frágiles.
Que la arcilla apropiada puede otorgar tal novedad a la belleza

que produzca la impresión de una intervención espiritual.
Que tal impresión alivia la obra de la tecnicidad del arte
terreno.
Que aquel que nada más ha cantado
lo que le hace comulgar con la humanidad propia y ajena
ha fracasado en el mérito poético.
Que aquel que no ha mostrado la sed insaciable que
tenemos
y los arroyos cristalinos que la aliviarían
ha fracasado en el mérito poético.

Que, al igual que un lirio se ve reflejado en un lago,
la belleza creada resulta ser una fuente de deleite duplicada.
Que una intensa melancolía aflora, forzosamente,
a la superficie de todos los lagos.
Que ese dejo de tristeza (no se sabe cómo ni por qué)
está vinculado con la manifestación más elevada de la
belleza.
Que la contemplación de la belleza es el más intenso
placer
y nos hace derramar lágrimas.
Que nuestros sollozos flotan en los oídos de los muertos
y son apreciados por estos en cada una de sus cadencias,
pero solo como sonidos musicales.
Que en un arpa terrenal se tañen notas
que no pueden resultar desconocidas a los ángeles,
aun cuando ignoren las angustias de donde nacen.

Que todo poema debe tener alguna cantidad de
significado subterráneo.

Que significado subterráneo no es lo mismo que
significado sugerido.
Que el exceso de significado sugerido lo torna corriente
superficial.
Que no en toda corriente superficial se ve reflejado un
lirio
donde ninguno era evidente antes
(no se sabe cómo ni por qué).

CALLAS

A Roberto Martínez Bachrich

Aquella noche escuchaba cantar a María Callas un 4 de noviembre de 1962. La eternidad debía durar un día y eso hizo. Pero la luna no iluminaba el monasterio de Saint-Just ni Isabel esperaba la llegada de Don Carlo para convencerlo de extinguir la pasión imposible. Antes bien, temía al amor herido que mata más que la muerte.

De nada sirvieron las plegarias. Don Carlo detuvo sus pasos al anochecer, y no para que los prados ni los arroyos ni las fuentes ni los bosques ni las flores le cantaran con su armonía nuestro amor. Aclaró luego que se había trabado la cerradura.

Tal vez llegó a escuchar a través de la puerta *la estocada infalible de un alto o un bajo en que la voz de la Callas no parecía pertenecer a la vida.* Yo también tuve miedo. Lo cierto es que el dúo —aunque revisado dos veces por Verdi— no prometió encontrarse de nuevo en un mundo mejor.

A la tercera copa se me mezclaron las arias. Ya no sabía si mandaban los instrumentos de viento o los de cuerda. Isabel solo deseaba la paz de la tumba. Carmen yacía en el suelo, apuñalada. La luna no iluminaba el monasterio de Saint-Just. Por donde quiera que se mirara, *el amor era un pájaro rebelde que nadie podía domesticar*. Solo quedaba el *fraseo animal —como decía la Callas a sus estudiantes ya retirada de los escenarios—*.

CHANEL

A Alejandro Castro

Es necesario un patrón lo más exacto posible, tres metros de mezclilla, seda, pana, gabardina o poliéster y un hilo que pueda camuflarse o combinar con el color de la tela. Según los entendidos, hay que tomar con precisión las medidas de la pierna interior —desde la ingle hasta el tobillo—, la circunferencia de las caderas, el grueso del muslo, la pretina, la cremallera o la bragueta, el dobladillo. Resulta crucial la manera de plegar dos veces la tela hacia adentro y coser desde adentro los pespuntes. Con cierta práctica, hasta el principiante menos aplicado podría confeccionar un accesorio como el bolsillo para guardar artículos personales de poco peso.

Antes de ver en ellos algo más que una prenda, Coco Chanel había aprendido a coser, a planchar y a bordar a mano en el Orfanato de la Congregación del Santo Corazón de María, donde solo ansiaba ser amada y quitarse la vida. Aunque pensaba que la moda estaba en el cielo, en la calle y en las ideas, cortaba la tela sobre modelos de carne y hueso. No le importaba deshacer el diseño dieciséis veces. Consumida por el reumatismo y la artritis, no dejó ni un momento, con su cigarrillo entre los dientes, de poner alfileres. Sentía aversión por Hollywood.

Decía que una pared no se transforma en puerta ni una mujer con pantalón en hombre apuesto.

Marilyn Monroe adoraba los pantalones de tiro alto y vivir en un mundo de hombres, pero ni con unas gotas de Chanel N.º 5 conciliaba el sueño. Tenía una risa loca. Había aprendido a maquillarse en el Orfanato de Los Ángeles. Sentía aversión por Hollywood. Solo quería ser maravillosa.

ESTILO

Cuando Mark Strand visitó mi país, calamidades domésticas me impidieron conocerlo. Así, mientras iba perdiendo una a una cada firma de sus libros, me preguntaba: ¿cómo puede ser esto?

Después de su partida, leí una entrevista en la prensa: el poeta sentía frío en el trópico y quería vivir el presente. Había dejado de leer poesía. Pensaba que algunos poemas suyos ya no existían o solo existían en su vida profesional, que era algo distinto de su vida doméstica. Se extrañaba de que sus lectores quisieran conocerlo, cuando él lo que quería era comer huevos revueltos e ir al mercado. Cierta vez, sobre el asado en rebanadas, sabemos que aspiró el aroma de una antigua salsa de zanahoria, cebolla, apio y ajo con que la madre le llenó el plato dos veces. Pero esto lo sabemos por su vida profesional.

He chupado esa salsa con trozos de pan y la tinta ha resbalado por las comisuras de mi boca rendida ante el poder de la poesía de Mark Strand. Ya su admirado Wallace Stevens había dicho que la vida era la mejor parte de la literatura.

La vida (sacrificable por lo demás de acuerdo con la moral del arte) o ese *vago ademán de espectro* que lo que va dejando de ser va dejando y que tantos llaman estilo. Strand lo llamaba movimiento. Y decía que le interesaba más que el aspecto visual de las cosas.

Yo me vacío de mi vida, decía, *y mi vida permanece.*
Sé que caminaré
bajo el sol de la mañana, decía,
invisible
como todos.

ANIMAL PLANET

El pelícano flota, herido, sobre las aguas del mar Caribe.

No lo imagina un joven a bordo de un paquebote.
No es el albatros de Baudelaire.

Minutos antes, el cardumen avanzaba hacia el faro.
Pelícano y pescador observaban atentos.
De pronto, un pez enfiló hacia la carnada.
El pelícano se lanzó en picada sobre el pez.

Ambas acciones se conjugaron por obra del azar
y no de ninguna figura retórica.

Cuando llegamos al muelle
ya el pez agonizaba en la bolsa
bajo el pico del pelícano,
ya el pelícano flotaba, herido, sobre las aguas.
Hombres en lancha intentaban salvarlo.
El pescador deportivo nos dio, risueño,
la bienvenida: la caña tenía un segundo anzuelo.
Pocos espectadores curioseaban. No había griterío.
No había marinero quemándole el pico,
sádico, con su pipa.

Estas no son las aguas de los mares del Sur, pensé,
ni el instante es el pez ni el pez es el plomo
ni el plomo la cuerda enredada en el ala del pelícano
que flota, herido, sobre las aguas del mar Caribe
con un pez adentro, con dos anzuelos adentro,
con el ala enredada en el plomo.

Haga la alegoría usted,
hipócrita lector, mi semejante, ¡mi hermano!

EL TONO

Conozco el nervio, la cadencia
pero no hay piano detrás,
tan solo el rastro de una voz
que aquí respiro de memoria
y no sabría en cuál compás comenzar
o en medio de la canción
cómo detenerme y hacer chanzas
como si no hubiese más
que un poco de *swing*
entre los presentes,
una pulsación
que de pronto nos atravesara
y no esta letra hecha
que no sabe quebrarse,
susurrar, enronquecer,
demorarse en la delicia
de una ondulación
o diluirse
como un terrón de azúcar
                    o de sal
bajo la lengua
un piano
intensamente esperando
lo que sucedería entre nosotros

si distinguiera el compás,
si pudiera ofrecer
—gustosa, tarareando—
el corazón de pasto
a cada nota que escuchara
o suspenderlo
entre una tecla y otra
si pudiera
de una palabra a otra
sostener
su levísima vibración
como de cuerda percutida
—*no débil, dudosa o quebradiza*—
pese a la inmensidad de muerte
que le aguarda (¿cuántos labios cerrados?).

La mitad muda de la música está aquí
—sopla Tranströmer en mi oído—
buscando el tono.

IV

COTA MIL

Todo se iniciaba en secreto.
VICENTE GERBASI

Aunque a mis ojos de pocos años
la visión de la Cota Mil
—¿desde el borde nebuloso de un balcón,
en un retrato?—
les impuso la inquietud del infinito,
el terror de que los padres se perdieran,
luego amé remontarla algún fin de semana.

Claro que vi antes mares y montañas,
pero mi primera revelación
fue de cemento.

En el asiento trasero
de un Pontiac Parisienne del 67
yo conocí la belleza de los atardeceres,
la gratitud por el paseo hacia ninguna parte,
la melancolía
y la paz.

FEELINGS

I

Cuando vi a la mujer espantar las moscas
de su plato de comida —si había plato—,
cuando vi el gesto tan universal de aquella mujer,
no pensé en la voz de Helen Archer
bajo los puentes del Guaire.

La mujer de la que hablo
vigila los carros de la zona,
grita a los transeúntes
y recorre frenéticamente las calles.

Quizás ha visto la estatua de *Las tres Gracias*
frente a la que vive,
pero no iría a morir con sus antiguos objetos
en una pocilga, no los reconocería.

No la distingue eso que tú y yo llamamos sensibilidad
y que a veces nos distingue.

No la distingue el miedo.

Ella es su jíbaro, su cobrador, la forma de su muerte.

Y de la nuestra, tal vez.

Atravieso sus calles en las primeras horas de la mañana.
Respiro la acidez que se cuela por las ventanas de un bar,
el aspecto de las sillas volteadas sobre las mesas.

Estoy en tu terreno, le digo.

No cuesta imaginar el cartón que tiene encima
ni la desgana para gritar a nadie.

II

Y en sus calles, Chet Baker en la radio, seis p. m.
El hombre con el termo de café,
el hombre barajando los vasitos de plástico.

¿Le compraría uno? ¿Cabría en el poema
el miedo a beberlo, el argumento
de un atardecer detenido sobre la ciudad?

Cabría. Y la vida tuya y la mía y la vida en abstracto
como suelen gustarnos las vidas y las tardes
quebrándose en la hilacha de voz de Helen Archer,
en la broma de Nina Simone que deletreaba
como si desconociese la melodía
(¿y has visto sus manos sobre el piano?,
¿has visto sobre el piano las manos de Nina Simone?).

Y quebrándose a la hora en que la indigente
dejaba de gritar a los transeúntes, la hora inigualable
en que alisaba el cartón sobre sus piernas
y se abrazaba las rodillas,
se abrazaba las rodillas mi muerte
sin presentir a Chet Baker,
sin haber escuchado nunca a Nina Simone.

CRÓNICA, 2014

Fue a finales de febrero de 2014. Aviones militares sobrevolaron por encima de nuestras cabezas. El vecino me informó que en pocos días habría desfile conmemorativo, que si me apuraba, conseguiría un kilo de harina. ¿Leudante?, le preguntaba; *¿leudante?, ¿leudante?,* me respondía.

Fue a finales de febrero de 2014. Una mujer de la Guardia Nacional cayó a horcajadas sobre una costurera. *¡Me rompiste la uña!,* le gritaba, *¡me rompiste mi uña!* Sonaron las cornetas, las cacerolas, las sirenas, las vuvuzelas. Sonó el silencio.

Fue a finales de febrero de 2014. Morían reinas de belleza, estudiantes, boxeadores. Morían a causa de perdigones en los ojos, de balazos en la cabeza. Morían taxistas apuñalados, indigentes apuñalados. La gente huía del arroz saborizado como de la peste. Se me estaba acabando el café. Detergentes: tenía seis. Harina: un kilo. Aceite: nada.

Fue a finales de febrero de 2014. Yo era una vecina de clase media, profesora universitaria. Yo era una mujer a quien su amante había dejado, pero eso era lo de menos. A unas cuadras de mi casa la Guardia Nacional arremetía contra los apartamentos, arremetía contra las casas, arremetía contra los carros estacionados en las calles, arremetía contra los vidrios de los carros estacionados en las calles, arremetía contra los vecinos, arremetía contra los fotógrafos, arremetía contra los muchachos que corrían por las calles con piedras y morrales, arremetía contra los muchachos que caminaban hacia sus casas con morrales, que salían de una clase de portugués.

Fue a finales de febrero de 2014. El país se llenó de tanquetas blancas que nunca habíamos visto. Periodistas extranjeros huían despavoridos. Conceptualistas del sur se daban a conocer como *una red de investigadores e investigadoras preocupados y preocupadas por reactivar la potencia revulsiva y la potencia disruptiva y la potencia poético-política desarticulada en América Latina por la fuerza de la violencia de Estado*. Conceptualistas y conceptualistas del sur se daban a conocer por un comunicado que respaldaba al gobierno.

El país se había llenado de tanquetas blancas que nunca habíamos visto. Y mi nombre solo servía para representar a una mujer de clase media que vivía en una urbanización del sureste de Caracas; una mujer de clase media a quien le faltaba conceptualismo intelectual, conceptualismo político; una mujer de clase media a quien le faltaba su amante, aunque eso era lo de menos.

Fue a finales de febrero de 2014. Había muerto Simón Díaz. Había muerto Paco de Lucía. Yo descubría su música como si jamás la hubiese escuchado antes. Pero era la danza de los muertos. Se habían adelantado los carnavales.

Fue a finales de febrero de 2014. Un viejo amigo publicó una carta a Rubén Blades. *Aquí en Venezuela*, le decía, *lo que realmente está paralizado son tres estaciones del metro y hay una irregularidad en el abastecimiento de algunos rubros, es cierto, pero las largas colas son casi siempre satisfechas y generalmente de a cuatro productos por persona. Venga y verá que lo que le digo es exacto. Estamos de acuerdo en que es un desperdicio de tiempo, pero no es una precariedad.* No es una precariedad.

Fue a comienzos de marzo de 2014. Había muerto el último poeta maldito. Blancanieves se despidió de los enanos. Campanilla cayó al suelo. Por los altavoces del metro de Caracas se escuchó a todo volumen: *De aquí en adelante los poetas serán unas doñas. De aquí en adelante Sean Penn nos dará clases de actuación. De aquí en adelante un kilo de arroz al mes en Polonia, cuatrocientos sesenta gramos de pollo en Cuba, medio kilo de harina de trigo en Rumania, setecientos gramos de azúcar en Vietnam.*

Fue a mediados de marzo de 2014. Un helicóptero militar pasó lento, rasante frente a mi ventana. El mundo, Goytisolo, era tuyo. El lobito era bueno. Los corderos lo maltrataban. Yo era una bruja hermosa del sureste de Caracas y del pirata honrado ni la sombra.

Fue a mediados de marzo de 2014. Los fotógrafos comenzaron a hacer poesía. Por los altoparlantes de las tanquetas blancas en vez de insultos, a todo volumen se comenzaron a escuchar himnos, se comenzaron a escuchar canciones. Esto ya es el infierno, pensé. Pero con gas de fabricación brasileña; *marca Cóndor*, dijeron, eso dijeron.

Fue a mediados de marzo de 2014. Los carros se quedaron sin batería. Los enfermos se quedaron sin cura. Las urnas se quedaron sin cadáveres. Rituales de magia negra se habían apoderado de los cementerios.

A tres cuadras de tu casa, decía mi viejo amigo, *a mil cuadras*, decía, *podemos comernos un cachito en la panadería con Rubén Blades*. Lo siento. Pero es que ahora soy una doña, Darling. Lo siento. Pero *mi nombre es Wendy, Darling*. No es nombre de filósofa ni de orfebre ni de artista reconocida o emergente. Ni es nombre *para pronunciar a solas, con voz queda, en una habitación a oscuras*. Blancanieves se despidió. Campanilla cayó al suelo. Pero no es una precariedad. Todo está en orden. Venga y verá que lo que le digo es exacto. *Todo está en orden, tranquilícese, señor Darling*.

LA ÚLTIMA DIOSA

Todas las mañanas el hombre dirige el tránsito.
Casi, podría decirse, es apuesto.
Como ensimismado, instaura el absurdo
con profesionalismo,
da paso a autobuses que de cualquier manera
se abalanzarían sobre los carros
y recoge las limosnas de los choferes.

En el semáforo de La Yaguara también hay un cojo
al que solo le dan monedas los camioneros
y esta servidora —*mi reina eterna*—
que entra sin miedo de su mano sucia en el día
por dos bolívares.
Pero al fiscal improvisado de Los Chaguaramos
lo dejo a merced de sus autobuseros
y de la muchacha que duerme en la esquina
junto al perro sobre el mismo cartón.

Los he visto discutir a mediodía,
tomar la siesta a la sombra de un árbol cercano,
ofrecerle al perro agua en un recipiente para perros.

A veces, me figuro, él la cuida, el perro los cuida.

Ciertas tardes, de pronto, ella me sale al paso:
una negra espigada, preciosa, con tacones altísimos.
Casi, podría decirse, una pantera.
Naomi Campbell buscando clientes
y un par de horas después
—estropeada hasta los huesos—
Naomi Campbell perdida
en una esquina sin perro, sin fiscal.

Media cuadra más allá
el perro olfatea un mendrugo,
lo lame, le da vueltas, olisquea el piso.
El brillo en sus ojos hace pensar
que imagina el trozo de carne ausente,
hace pensar incluso que está a punto
de hacerlo aparecer.
Casi, podría decirse, un prestidigitador,
un ilusionista o un perro esperanzado,
por decir lo menos.

Desde hace un tiempo
me ha estado rondando un poema
sobre la esperanza, aprisionada en la vasija
de la pesadumbre nuestra;
preguntaría por el color de sus ojos
a medio abrir, su misteriosa modorra.
Pero nada habría que descifrar
en la mirada de los rufianes
ni de los cojos ni de los perros
que se apostan en los semáforos

y basureros de la ciudad.
Tampoco hablaría de Naomi
ni de mi vida ni de la vida de nadie.
Con aplomo, podría escribir un poema
sobre la esperanza para los griegos,
y sobre la esperanza para los romanos.
Y eso es todo.

TIERRA DE GRACIA

No hay ojos aquí
en este valle de estrellas moribundas
en este valle hueco
esta rota mandíbula de nuestros reinos perdidos.

T. S. Eliot

En mi país se codician los productos de la cesta básica. Se codician de lejos, en las bolsas que la gente va llevando, en las parrillas de los motorizados. Se nombran en las colas —*¿qué irán a sacar hoy?, ¿qué sacaron ayer?*— y nos brillan los ojos. Yo elaboro listas perentorias e inútiles. Olvido el consejo borgiano de la alusión, la prevención contra las repeticiones, cacofonías, eufemismos.

Hace no demasiado tiempo el canto de las sirenas se oía en la *Odisea* y no en las aguas del canal de Sicilia. Si de los pantanos de Jutlandia volvía a emerger una momia con la soga al cuello, siempre se trataría de un sacrificio ocurrido dos mil años atrás. No daba miedo la historia. Nuestras cabezas estaban tan a salvo como los toros alados de los asirios. El mundo desgraciadamente era real. Borges, desgraciadamente, era Borges. Solo sus páginas arribarían de nuevo a nuestras manos iguales. Pero la falta de papel higiénico, la falta de suavizante para la ropa confunde la percepción de las cosas.

Sopla el viento hacia el sur y gira luego hacia el norte. Gira y gira el viento. Gira y vuelve a girar. Nosotros también giramos como hipnotizados. Parece que estamos pálidos y hemos perdido la noción del tiempo. Los automercados suelen estar a media luz. Nos sentimos bienaventurados cuando apretamos en las manos nuestras propias bolsitas de café o de azúcar, pero no vamos junto a las almas de los justos en tránsito hacia nada. Caminamos sobre calles agrietadas que tienen sed de sangre. Como las ánimas, no nos dejamos tocar ni abrazar. Solo hay ojos abiertos y vigilantes sobre las bolsas del mercado. Ojos fantasmas sobre ciudades fantasmas camino de basureros suburbanos. Una ruina colosal cae y se extiende como una lagaña anegándonos de polvo y tierra. Por sus rendijas brotan las malas yerbas con ímpetu inigualable.

Brotan también las rosas de montaña. En honor a la verdad, no vivimos bajo el asedio de bombardeos ni nos hallamos sometidos a legiones de bárbaros. Tan solo nos espantan los motorizados que van de noche sin luz, que aparecen de golpe a plena luz del día en los cruces, en las aceras, en los entierros, en las autopistas, en los altares, en los paisajes magníficos. Y a cuarenta metros bajo tierra, aparecen también. Ayer, por ejemplo, detuvieron siete vagones del metro de Caracas y durante quince minutos robaron uno por uno a cada pasajero. *Demos gracias a Dios que estamos vivos*, decía una de las víctimas, a quien la policía se llevaba —descalza y esposada— por agresión a la autoridad.

Demos gracias a Dios que estamos vivos, decimos, cada bendito día de nuestras vidas, aunque a veces el parque sigue pareciendo un parque donde la gente camina, hace yoga, adquiere un rostro familiar y se alegra de vernos. Qué calor está haciendo por estos días, decimos, o refrescó con la lluvia, gracias a Dios.

FIN DE FIESTA

A Rafael Castillo Zapata

Las piernas delgadísimas de la mujer
tiemblan sobre las sandalias desabrochadas.

Esos tacones, me dices,
mientras voy reparando en la faldita mugrosa,
raída, la cara de piedra, el bailoteo
que solo hacen las piernas.
Ella está en su propia fiesta, ¿y?,
¿qué quieres ver, qué buscas?

Saber si esa bolsa de basura
donde parece que está guardando las sandalias
es una bolsa de basura,
¿y qué hará luego ella sin tacones?,
¿qué haremos nosotros
ante la mirada de tu padre
—cada día más joven—
que ignora
las piernas delgadísimas de la mujer,
nuestra loada ración de pan con mantequilla
para las añoranzas que nos restan?

Los viejos nos esperan a la hora de siempre,
se pierden si tardamos.

Y aunque en aquella esquina aguarde la bolsa
que la hambruna no alcanzó a escarbar
y el par de sandalias para la nueva Cenicienta
        (*dolorosa, descalza*)
que pueda abrocharlas,
no admiraremos *su gastado interior*
ni *lo que tiene de húmedo y graso el suelo*
ni *la inminencia de la muerte en torno*
ni *su lejana danza primitiva.*

Los viejos nos esperan a la hora de siempre.

Cuidado con ir por ahí.

¡Cuidado!, repiten.

No nos vayan a haber dejado solos

como si también nosotros
                no pudiésemos partir.

AÚN

A Guillermo Sucre

Si en este tiempo, en este lugar
alguien va conduciendo
(por decir alguien, yo misma)
ni lenta ni rápidamente
y contra el parabrisas
del lado del conductor (de mi lado)
se estrella en picada un pajarraco negro
¿a quién debe (debo) recurrir?

Oh, futurólogos, jovencitas melindrosas,
semiólogos de buena fe, veterinarios,
dado que no se trata de un jeroglífico egipcio
ni del milano que descendió sobre la cuna de Leonardo
sino de un miembro de la familia
        de los buitres del Nuevo Mundo,
buen planeador
          que se estrella
literalmente   con todas sus plumas
contra el parabrisas
de un carro andando (el mío),
¿qué explicación?, ¿qué tono me aconsejan?

Y si el zamuro se incorpora, me mira
y bastan segundos para cerciorarnos
el uno del otro, paladear
suspendidos (¿enamorados?)
la eternidad;
y si cae al piso y avanza lento,
descalabrado, renqueando
hacia la principal cloaca de este valle
que alguna vez fue un río
o la promesa de un río atravesando la ciudad,
¿cómo descifrar la cortesía del hombre
que conduce a mi izquierda y le da paso,
el ceceo del animal?

Y si logro (logramos) proseguir la ruta
hasta algún punto del mapa
donde la vida pueda reanudarse
en la memoria al menos de otras horas
en que el aire albergaba presagios anodinos,
invisibles,
como animados por el aburrimiento de un dios
y no por el milano de Leonardo
ni por un zamuro negro del Nuevo Mundo
(*que golpea muchas veces con esos ojos suyos
contra mis labios*),
¿qué cadáver debemos colocar, como los parsis,
en las torres del silencio de Bombay
(o en las nuestras)?

¿Y si de noche
se cuelan por las ventanas
unas gigantes mariposas negras,
recaderas en pena del México prehispánico?
Oh, entomólogos, ¿las dejamos estar,
las espantamos a escobazos?,
¿les damos a libar fruta podrida, estiércol,
orina, sal, esporas, sudor?,
¿celebramos que anuncian tan solo
torrenciales lluvias?

Oh, ambientalistas, dicharacheros de ocasión,
orfebres de pulseritas con escapularios,
¿qué somos capaces de reconocer aún
bajo este cielo?

Tal vez alguna canción
que alcanzamos a tararear en la radio;
una vieja, grata costumbre
que no nos ha abandonado;
el enigma de un sueño
o aquel otro zamuro *bello por la distancia y por el vuelo*
o bien detenido *entre su breve sombra y su destino*
que al fin cae también;
o el veranillo de San Juan en el poema de Emily
Dickinson:
la voz baja, melodiosa de Guillermo
aquel mediodía de principios de junio
para que el cielo pudiese recobrar un pájaro o dos
y las viejas, viejas sofisterías de junio.

Atesora esa voz,
el esplendor del mediodía,
su penumbrosa manera de limpiar
en un instante
el aire bochornoso, irrespirable
de estos días;
atesora su gracia, su exigencia:
la vida, aún.

V

EN FALSO

I

Tras la ceguera de mi padre
no hay gestas ni rescates
ni sagradas hecatombes
ni gruesas lágrimas en los ojos de Nadie.

Tras la ceguera de mi padre
no está el lento crepúsculo de Borges
ni su nebulosa oscuridad (ni mi lívido miedo)
ni el anglosajón de sus lejanos mayores
ni la extraña música de Joyce.

Tras la ceguera de mi padre
hay una escultura en la entrada de la casa
perdida entre otras dos:
    alguna vez me dijo
    que se trataba de un lagarto
    echado al sol sobre una piedra;
    y eso tenía que ver con el paso del tiempo
    y con la nada.

Es nítida la forma que tiene la escultura
en mi memoria,
pero no corresponde a la que usurpa su sitio.

Tras la ceguera de mi padre
Homero, más estoico que nunca,
sobrelleva la cesura prolongada de un verso,
tal vez sigue garabateando en sueños
los disparates que le dictaban desde el Olimpo.

II

Y ahora qué ofrecerte, palabra,
qué desear de ti.

Acaso,
aún nos sea dado recordar
las bellas utopías,
algún conjuro
laboriosamente soñado
        a prueba de fuego
impuesto a la realidad.

Ya ves, la rosa ha florecido en el poema
y se ha sabido sombra de otra rosa.

La historia también ha florecido.

La historia: *aquí hablamos de lo sin flor.*

Aquí, entre dientes, mascullamos
el mundo que no es.

Con la cabeza gacha, el rabo entre las piernas,
cada día lucho por reconocerte,

cada mañana, al menos, lo pregunto:
¿realidad, realidad?, ¿palabra, palabra?

Los indigentes llegan al semáforo humanamente:
el hombre sin piernas y rostro de hombre
se echa al piso, se arrastra entre los carros,
golpea las puertas por debajo;
la mujer con su cartera al hombro
se arremanga los pantalones y
se lleva las manos a la boca
en un gesto que alguna vez fue señal de hambre.

Recostado en la pared,
aquel hombre también se lleva las manos a la boca.
Me mira y ríe a carcajadas.

Ha visto en mis ojos el espanto
y le da risa.

Agachada en la basura,
la mujer orina o defeca mientras
come y rebusca desperdicios
a la vista de todos los transeúntes.

¿Quién puede mirar,
quién puede voltear al otro lado?

Esta es tu estofa, palabra,
¿qué harás con ella?

Chisporrotean, rotos, bajo la lluvia, los anuncios de neón.

Esta es la ciudad que ven los ojos.

Los huecos en el cemento,
camuflados a veces por la lluvia.

Los huecos dentro de los ojos.

III

Y en la mandíbula
el rumor de una lengua familiar
cuyo significado no alcanzo.

¿Y la voz de los abuelos, la recuerdas?

Pero a duras penas logro hacerlos hablar.

Como si hubiese despertado el más allá
de un sueño extraño en que no nos conocíamos,
surcan el rostro ahora sus mayores,
mis lejanos mayores;
los silencios larguísimos de los viejos montunos,
huraños.

Camino lentamente por sus casas de piedra,
los olores que amo sobre el fogón.

Ya hay mares de por medio entre los parientes
que se miran de reojo.

Ya el hijo manda a traducir para mí
la pavorosa dedicatoria del Sidur
que la abuela reclamará día y noche.

Ya el hijo aprende, letra a letra, a leerla.

Alguien dormita sobre la mesa
como al final de un festejo:
Nokh a glezele vayn, nokh a glezele vayn[1]...

¿Y la belleza?, ¿los rasgos fuertes del rostro?
¿Lo que era mío en mí?

¿Pero quién, a orillas del Prut,
gozó en el rumor de sus aguas
algo parecido a una música?,
¿quién se entretuvo en el tono de su superficie?
¿Era el Prut?, ¿el Dniéster?
¿Hubo río?, ¿alguien quiso decir cómo sonaba?

---

[1] *Otra copa de vino, otra copa de vino.*

IV

Puerto Ordaz, agosto, 1967.
El gran terremoto de Caracas
ha pasado inadvertido para nosotros.

En una de las fotos
estamos sentados sobre una piedra,
Eduardo mira a la cámara,
Adriana sostiene un gatico blanquinegro
que yo, temerosa, acaricio.
En la otra foto, estamos de pie.

Tras el lente, entretenida,
mamá nos hace posar.

Años después, oiremos que nos salvaron
los tres mil quinientos millones de años
del Macizo Guayanés, su solidez
de mole pétrea.

Otros sacudimientos y derrumbes
no pasarán inadvertidos para nosotros.

Con todo, la media sonrisa permanece,
nuestras miradas siguen oscilando
entre el gatico blanquinegro y la cámara
sobre la piedra inmóvil.

V

¿Y Caracas, qué sabes de Caracas?

Ni siquiera en el Muro de los Lamentos
he visto piedras tan tristes como estas.

¿Y si dijéramos Djémila, Varosha, Comala, Cuicul,
San Juan Luvina?

¿Si dijéramos
desolación
procacidad
desasosiego
humareda
demencia
ruindad
se levantaría ante nosotros
la ciudad?
¿Le haríamos justicia?
¿Volverían a ladrar sus perros famélicos?
¿Dejaríamos de ser
para las hienas que pululan
incesante carroña?

A todo gañote,
por el medio de la calle,
una mujer va llamando urgida a Jesucristo:
        ¡Jesucristo, Jesucristo!

¿En qué país estamos, Agripina?

¿Qué pasó por aquí?

Era junio.

Habíamos probado el cálido aliento de la realidad.

Habíamos descubierto el cielo verde manzana de Van Gogh.

En el bolsillo traíamos la florecilla apasionada
que guardó Hanni Ossott como esperanza.

Del Ávila venía un tigre al plenilunio.

VI

Pero yo te nombro Mádo, Yaguará, Toobe, Margay;
te nombro Panterino, Kaikusé, San Juan Luvina,
hasta que tú no seas la mano que los indigentes
se llevan a la boca que no es mano, la risa
que no es risa, hasta que tú no seas Caracas,
la de caliente sangre, de rugidos y fauces;
te nombro Djémila, Varosha, *lo sin flor*, gato de monte,
Yaguará, Cuicul; te nombro fárrago, jirón, hartazgo,
tigrito, *rencor vivo*, mosca de zancas cortas;
yo te nombro río lejano cuyo nombre ignoro
y vínculo truncado y añoranza; te nombro
nada o *Edelweiss*, *tigre de tropos y símbolos y sombras*
hasta que no seas el tigre en la palabra «tigre»
ni en las letras de «rosa» el corazón cerrado de la rosa;
te nombro gatico blanquinegro, lagarto de piedra
echado al sol; casi sin voz te nombro *vigor del corazón*,
terrible simetría, piel estriada en las comisuras de mi boca,
Kaikusé, *santo de a medio peso*; yo te nombro.

VII

El tiempo trabaja en los rasgos de mi rostro.

Yo trabajo en el sueño: la abuela
marca una canción de Janis Joplin
y dice que va a cantarla.

El tiempo sigue en movimiento.
Yo sigo en movimiento.

Mi amor espanta las moscas de las frutas.

Mamá está tan bonita, ahora.

Los peces saltan, el algodón está alto.

Los días se han ido.

Los hijos se han ido.

Los amigos se han ido.

Los padres se irán.

El tigre nos acecha.

Las moscas dañan nuestras frutas.

No llores, no llores.

A la abuela, hace ya cuánto muerta,
la ha conmovido una canción.

Mi amor les pone trampas a las moscas de las frutas.

Cántame un *blues*, Babi.

Babi, *¿hay un fuego en el interior de todos nosotros?*,
¿espacio suficiente para un *Kozmic blues*?

Y *vas a levantarte, vas a levantarte cantando.*

NOTA FINAL

Voces de procedencias distintas acompañan y repercuten en este libro: remotos ecos familiares, voces de la calle y de la cotidianidad, versos que la memoria trae de la tradición literaria y musical. Además de las referencias más o menos explícitas en los poemas, confluyen en ellos fragmentos de Homero, Franz Kafka, Hans Christian Andersen, Julio Jaramillo, Javier Solís, Homero Manzi, Leonard Cohen, Vicente Huidobro, Juan Sánchez Peláez, Roberto Martínez Bachrich, José Ortega y Gasset, Leopoldo María Panero, El Eclesiastés, César Vallejo, Ida Gramcko, Martin Heidegger, Fernando Paz Castillo, Guillermo Sucre, Heberto Padilla, Juan Rulfo y Otilio Galíndez.

Quisiera agradecer a la Fundación para la Cultura Urbana y muy especialmente a Marina Gasparini Lagrange por su confianza en mi trabajo, por sus observaciones y su dedicación a este libro.

ÍNDICE

III

IV

V